Sobre a vida feliz

Dados Internacionais de Catalogação na Publicação (CIP)
(Câmara Brasileira do Livro, SP, Brasil)

Agostinho, Santo, bispo de Hipona, 354-430
 Sobre a vida feliz / Santo Agostinho ; tradução de Enio Paulo Giachini. – Petrópolis, RJ : Vozes, 2014. – (Vozes de Bolso)

 Título original: De beata vita

 11ª reimpressão, 2022.

 ISBN 978-85-326-4799-3

 1. Felicidade 2. Filosofia e religião 3. Padres da Igreja primitiva 4. Virtude I. Título. II. Série.

14-03695 CDD-189.2.

Índices para catálogo sistemático:

 1. Agostinho, Santo : Filosofia e religião :
   Filosofia patrística   189.2

Santo Agostinho

Sobre a vida feliz

Tradução de Enio Paulo Giachini

Vozes de Bolso

Tradução do original em latim intitulado *De beata vita*

Editado por CSEL, vol. 63 Augustinus. *Contra academicos,*
De beata vita, De ordine
P. Knöll, 1922.

© desta tradução:
2014, Editora Vozes Ltda.
Rua Frei Luís, 100
25689-900 Petrópolis, RJ
www.vozes.com.br
Brasil

Todos os direitos reservados. Nenhuma parte desta obra poderá
ser reproduzida ou transmitida por qualquer forma e/ou quaisquer
meios (eletrônico ou mecânico, incluindo fotocópia e gravação)
ou arquivada em qualquer sistema ou banco de dados
sem permissão escrita da editora.

CONSELHO EDITORIAL

Diretor
Volney J. Berkenbrock

Editores
Aline dos Santos Carneiro
Edrian Josué Pasini
Marilac Loraine Oleniki
Welder Lancieri Marchini

Conselheiros
Elói Dionísio Piva
Francisco Morás
Teobaldo Heidemann
Thiago Alexandre Hayakawa

Secretário executivo
Leonardo A.R.T. dos Santos

PRODUÇÃO EDITORIAL

Anna Catharina Miranda
Eric Parrot
Jailson Scota
Marcelo Telles
Mirela de Oliveira
Natália França
Priscilla A.F. Alves
Rafael de Oliveira
Samuel Rezende
Verônica M. Guedes

Editoração: Maria da Conceição B. de Sousa
Diagramação: Sheilandre Desenv. Gráfico
Capa: visiva.com

ISBN 978-85-326-4799-3

Este livro foi composto e impresso pela Editora Vozes Ltda.

Sumário

Capítulo 1, 7

O que seriam as aptidões para a virtude se a
procela pode nos conduzir ao solo da felicidade, 7

Aqueles que podem ser acolhidos pela filosofia
podem ser comparados com três tipos de
navegantes, 7

A sabedoria dos antigos é comparada a um monte
estupendo, 9

A experiência de Agostinho, 10

Qual é o meu sentir atual, 11

Quem são os convidados que debatem sobre a
vida feliz, 12

Capítulo 2, 13

Tem desejo aquele que sabe estar necessitado, 13

A alma necessita da inteligência das coisas e
também de virtude, 14

Aquilo que não é sadio não apetece, 16

Todos queremos ser felizes, 17

Não é feliz aquele que não pode ter aquilo que
quer, 18

O que pensava cada um dos convidados, 19

O questionamento possui medida, 20

Os acadêmicos, que não alcançam a verdade,
carecem de felicidade..., 21

...a opinião de Agostinho contra Licêncio, 22

Mas Mônica chama-os de caducos (epiléticos), 23

Capítulo 3, 24

Recapitulação do que fora dito anteriormente, 24

Através de diversos discursos, os que disputavam concordaram numa opinião única, 25

Se buscar a Deus é viver feliz, 26

A objeção de Navígio em relação à questão se o sábio acadêmico busca a Deus, 27

Quem busca e tem a Deus como propício está apto para a vida feliz, 28

Se alguém que ainda está buscando Deus é necessariamente infeliz, 29

Capítulo 4, 30

O que vem a ser indigência, 30

Não se pode deduzir sem mais que quem não tem indigência é feliz..., 31

...porque a vida feliz está enraizada no *animo* (*animus*), 31

E, ao contrário, é indigente aquele que é miserável por carência de sabedoria, 32

A estultícia, portanto, é a mais alta indigência..., 34

...e a sabedoria é a vida feliz, a estultícia é a miséria, 35

A estultícia é o verbo do não ter, 35

Portanto, a indigência se opõe à plenitude..., 37

...que está radicada na medida e na temperança, 38

Portanto, a sabedoria é plenitude..., 39

...e medida, 40

Deus é a suprema plenitude e a medida pela qual a verdade..., 41

...que encontramos nos torna felizes, 42

Louva os convidados e os despede, 43

Capítulo 1
O que seriam as aptidões para a virtude se a procela pode nos conduzir ao solo da felicidade

1.1 Se o curso instaurado pela razão e a própria vontade conduzissem ao porto da filosofia, único ponto através do qual se pode alcançar a região da vida feliz, ó ilustre e grande homem, Teodoro, não sei se afirmaria temerariamente que bem poucos seriam os que conseguiriam chegar a esse porto; e também agora, como vemos, são raros e extremamente poucos os que ali alcançam chegar. De fato, fomos lançados neste mundo por Deus ou pela natureza ou pela necessidade ou por nossa vontade, ou por alguns desses fatores reunidos ou por todos juntos (a questão é muito obscura, muito embora já tenhas começado a esclarecê-la), fomos lançados, como disse, como que num mar tempestuoso, sem razão e aleatoriamente. Quão poucos saberiam com que empenhar-se e através de que recursos retornar, a não ser que vez por outra, contra sua vontade e na medida em que lutam em direção oposta, alguma procela, vista pelos tolos como adversa, não impelisse violentamente os ignorantes e errantes para a terra imensamente desejada.

Aqueles que podem ser acolhidos pela filosofia podem ser comparados com três tipos de navegantes

1.2 Assim, pois, dentre os homens que podem ser acolhidos pela filosofia, parece-me poder divisar como que três tipos de navegantes. Um tipo é daqueles que, tendo alcançado a idade do uso da razão, com bem pouco ímpeto e poucos golpes de remo procuram se afastar do que lhes está próximo, refugiando-se naquela tranquilidade, onde erigem um sinal luminoso de alguma obra sua a fim de buscar atingir o maior número de outros cidadãos, para tentar atraí-los a si. O outro tipo, contrário ao tipo anterior, é daqueles enganados pela superfície falaciosa do mar, escolhendo avançar para o alto-mar, ousam peregrinar para longe de sua pátria, e muitas vezes acabam se esquecendo da mesma. Mas se a esses, não se sabe por que maneira nem por que força obscura, sopra-lhes um vento na popa, o qual eles consideram como próspero, acabam então penetrando na mais profunda das misérias, orgulhosos e contentes, pensando estarem sendo favorecidos até esse ponto pela serenidade falaz dos prazeres e das honras. O que mais se poderia desejar a esses a não ser que lhes advenham algumas contrariedades justamente naquelas coisas às quais eles se atêm com alegria; e se isso parece pouco, que sejam tomados por uma tempestade extremamente severa, por um vento contrário, que os reconduza, mesmo que chorando e gemendo, às alegrias certas e firmes? São aqueles homens que, por causa das tragédias lamentáveis que acontecem com suas fortunas, ou por causa de dificuldades angustiantes em seus vãos negócios, como que não lhes restando nada mais que possam fazer, são impelidos a lerem livros de homens doutos e sapientíssimos, e de certo modo acabam acordando naquele porto de onde não mais poderão ser expulsos por nenhuma promessa e nenhum sorriso falacioso daquele mar. Entre esses, há porém um terceiro gênero, daqueles navegantes que, encontrando-se no próprio limiar da adolescência ou já tendo sido bastante batidos pelo mar e por longo tempo ainda têm olhos para verem certos sinais, e, muito embora balançando nas ondas do mar, ainda se recordam de sua dulcíssima pátria. E, em curso reto e sem desvios e demora a ela retornam; muitas vezes, ainda, tomando desvios por entre a névoa, ou observando os astros que surgem no céu, ou presos em certas seduções, atrasam o tempo propício da boa navegação, acabam errando com frequência e muitas vezes também acabam naufragando. Frequentes vezes acontece, também, que essas pessoas sejam compelidas para uma vida desejadíssima de sossego através de alguma calamidade que advém a suas fortunas passageiras, como que uma procela que se contrapõe a seus intentos.

A sabedoria dos antigos é comparada a um monte estupendo

1.3 Todavia, todos aqueles que, de uma maneira ou de outra, são conduzidos à região da vida feliz, devem temer com veemência e procurar evitar com bastante cuidado um monte estupendo constituído em frente ao próprio porto, que gera grande angústia aos que procuram nele entrar. Pois, refulge de tal modo, se mostra revestido de tal luz mendaz que não só se oferece para que se demorem os que chegam e ainda não ingressaram, com promessas de satisfazer suas vontades em vista daquela terra da felicidade, como até, muitas vezes, convida as próprias pessoas que já se encontram no porto, esses que, às vezes, são mantidos presos por alegrarem-se da própria altura, de onde se comprazem em desprezar os outros. Porém, acontece muitas vezes de esses também admoestarem os que chegam, para que não sejam enganados pelos escolhos ocultos sob a água ou para que não julguem ser fácil a ascensão. E, com isso, ensinam com grande benevolência a ingressarem por causa da proximidade daquela terra de felicidade. E assim como invejam-lhes a glória vã, indicam-lhes o lugar da segurança. Isso porque, que outro monte a ser temido quer dar a entender a razão aos que se aproximam de ou ingressam na filosofia a não ser o estudo e a busca soberba da glória? Uma vez que, em seu interior, essa está vazia e nada tem de sólido. Aos que ousam caminhar sobre ele, rompendo-se o solo frágil, o monte os faz submergir e sorve-os, envolvendo-os nas trevas, derrubando assim a esplêndida casa que mal conseguiram entrever.

A experiência de Agostinho

1.4 Desse modo, meu caro Teodoro, para chegar ao que quero, olho para ti somente e sempre te considero extremamente capacitado. Compreende, digo, qual das três categorias de homens que expus fez com que me dirigisse a ti, e em qual lugar vejo encontrar-me e que tipo de auxílio certo espero de ti. Com a idade de dezenove anos, logo após ter tido contato com o livro de Cícero chamado *Hortênsio*, na escola de retórica, fui tomado de tanto amor à filosofia que imediatamente planejei a ela me dedicar. Mas logo não faltaram névoas para me confundir o curso a seguir. E por longo tempo, confesso, ergui e fixei meus olhos nos astros que desaparecem no oceano, pelos quais fui levado ao erro. Isso porque também certa superstição pueril me amedrontava, afastando-me das indagações. E tendo crescido, e tendo-se desfeito as trevas da escuridão, convenci-me de que deveria crer preferentemente mais nos que ensinam do que nos que ditam ordens. Acabei me encontrando com pessoas, então, para as quais a luz vista pelos olhos deveria ser considerada digna de culto como as coisas divinas. Eu não consentia plenamente com isso, porém achava que eles estivessem guardando algo de grande naqueles invólucros, e que na época certa eles iriam revelá-los. Depois de ter debatido com eles, acabei abandonando-os, e uma vez tendo atravessado este mar, por longo tempo os acadêmicos governaram o timão de meu barco, lutando com todos os ventos e em meio às vagas do mar. Por fim cheguei a esta terra e aqui encontrei aquela estrela polar (*septentrionem*) à qual me confio. Seguidamente observei nos sermões de nosso bispo e, às vezes, nos teus, que, quando se pensa em Deus, de modo algum se deve pensar em corpo, nem sequer quando se pensa na alma; visto que ela é a única, entre as coisas, próxima de Deus. Mas confesso que o que retardou meu voo rápido para o âmbito da filosofia foi eu ter sido atraído pelos encantos da esposa e das honras; e então, uma vez tendo conseguido isso, em seguida, com certeza, precipitar-me-ia a plenas velas e com toda força dos remos para aquele seio da filosofia, coisa permitida a poucos varões, onde poderia descansar. E tendo lido algumas poucas obras de Platão, de quem considero seres um grande estudioso, e confrontando com os mesmos, o quanto pude, também a autoridade daqueles livros que nos transmitiram os mistérios divinos, senti-me tão inflamado que logo quis erguer todas as âncoras, se não houvesse me movido em contrário a estima que tinha por algumas pessoas. O que mais restava a não ser que a própria procela, que eu julgava adversa, viesse em meu auxílio para resolver os retardos supérfluos que me afligiam? Assim, fui tomado por uma violenta dor no peito, de modo que não consegui mais manter o ofício daquela profissão que talvez me fizesse navegar rumo às Sirenas; tudo abandonei e conduzi minha nave, quebrantada e fatigada, à tranquilidade desejada.

Qual é o meu sentir atual

1.5 Vês então em que filosofia navego, como que num porto. Mas também esse se mostra bastante amplo, e sua magnitude, muito embora já bem menos perigosa, não exclui totalmente a possibilidade de erro. Pois, eu ainda não sei perfeitamente para que parte dessa terra, que é seguramente a única bem-aventurada, devo dirigir-me a atracar. O que tenho de sólido, se sinto-me ainda cambalear e hesitar sobre a questão da alma? Essa é a razão por que te imploro, por tua virtude e por tua humanidade, para que, pelo vínculo e as relações que unem as almas, me estendas a mão em auxílio. Isso significa que peço que me estimes e creia, por meu lado, que te estimo e te quero muito bem. E se eu conseguir esse favor de chegar a essa vida feliz, na qual presumo que já te encontras, com um pequeno esforço posso lá ingressar com facilidade. Julguei escrever a ti para que conheças o que faço, e de que modo reuni meus amigos a esse porto, e a partir disso compreendas plenamente minha disposição de ânimo (uma vez que não encontro melhores sinais para me mostrar a ti), pensei em te escrever meus debates, que me pareceram vir a ser os mais religiosos, e até mais dignos de serem a ti dedicados e receberem teu nome. Isso é perfeitamente apropriado, pois entre nós questionamos sobre a vida feliz, e nada mais vejo que se possa chamar de dom de Deus do que isso. Não nutro temor de tua eloquência, pois, muito embora eu não a alcance, não posso temer aquilo que amo; muito menos temo a sublimidade da fortuna. Junto a ti, essa fortuna, mesmo sendo grande, é secundária; pois aqueles a quem a fortuna domina, a esses mesmos ela transforma em secundários. Mas quero que prestes atenção ao que vou te expor agora.

Quem são os convidados que debatem sobre a vida feliz

1.6 Era o dia 13 de novembro, dia de meu aniversário. Após tomarmos uma refeição leve, a fim de que o espírito não se sentisse oprimido por causa da mesma, convoquei a todos com quem costumávamos conviver não só naquele dia, mas diariamente, para reunir-nos na sala de banhos. Isso porque aquele local parecia reservado e bastante adequado para o calor que fazia. Não temo pois revelar a tua benignidade singular o nome de cada um deles. Primeiramente, nossa mãe, a quem creio ser o mérito de tudo quando significa minha vida; meu irmão Navígio, Trigésio e Licêncio, meus concidadãos e discípulos; fiz questão da presença de meus primos Lastidiano e Rústico, que, apesar de não terem frequentado nenhuma escola de gramática, eu julgava sua presença necessária em vista de seu senso comum em relação à questão que planejávamos debater. Entre nós estava também meu filho Adeodato, o mais jovem de todos nós, mas cuja inteligência, se o afeto não me engana, promete grandes coisas. Uma vez estando todos atentos, então comecei: *Bem-aventurado é aquele que possui o que quer (2,7-16).*

Capítulo 2
Tem desejo aquele que sabe estar necessitado

2.7 É algo evidente para vós o fato de sermos compostos de alma e corpo? Todos consentiram. Navígio, porém, respondeu ignorar tal fato. Então eu lhe disse: Não sabes absolutamente nada de nada, disse eu, ou dentre outras coisas que ignoras deve-se enumerar também isso que dizes não saber? Ele respondeu: não me considero ignorante de tudo. Podes, então, nos dizer alguma coisa daquilo de que sabes? Posso, respondeu ele. Se não for incômodo, então, disse eu, exponha-nos alguma coisa. E como ele hesitasse, então eu disse: Sabes pelo menos que vives? Sei, disse ele. Sabes também possuir um corpo? E ele assentiu. Portanto, já sabes que és composto de corpo e de vida. Sei disso por enquanto; todavia não estou certo se há apenas essas coisas. Portanto, não duvidas existirem essas duas coisas, corpo e alma. Todavia não tens certeza se haveria alguma outra coisa capaz de complementar ou perfazer o homem. Assim é, respondeu. Quais sejam essas coisas, se pudermos, vamos investigar noutra ocasião, disse eu. Ora, já que todos nós estamos de acordo de que o homem não pode existir sem corpo e nem sem alma, inquiro a todos perguntando em função de qual desses dois desejamos o alimento. Desejamos por causa do corpo, disse Licêncio. Os outros, porém, hesitavam, conversando entre si de diversos modos sobre como o alimento poderia ser necessário ao corpo, visto nos apetecer por causa da vida e que a vida pertenceria à alma. Então eu intervim: é evidente para vós, disse, que o alimento pertence àquela parte do homem que vemos estar crescendo e que se torna mais robusta? Todos concordaram, menos Trigésio. Ele disse, pois: Por que eu não cresci proporcionalmente à minha vontade de comer? Todos os corpos possuem seu limite, instituído pela própria natureza, disse eu; além dessa medida, eles não podem ultrapassar; todavia, seriam menores que essa medida, se viesse a lhes faltar o alimento. Esse fato é bastante fácil de ser constatado nos animais. E ninguém duvida que, se for subtraído o alimento ao corpo de qualquer animal, este começa a definhar. Definhar, disse Licêncio, e não diminuir de tamanho. Para o meu objetivo, isso já me é suficiente, disse eu. A questão, pois, é saber se o alimento pertence ao corpo. Faz parte seguramente, visto que, uma vez tendo sido subtraído, o corpo começa a emagrecer. E todos concordaram que é assim.

A alma necessita da inteligência das coisas e também de virtude

2.8 E a alma, disse eu, não precisa de um alimento próprio? Parece-vos que esse alimento seria a ciência? Perfeitamente, disse minha mãe. Não creio haver outro alimento para a alma do que a inteligência das coisas e também a ciência. Sobre essa argumentação, Trigésio se mostrou em dúvida, e ela então prosseguiu: Hoje, tu mesmo não nos demonstrastes do que e onde se nutre a alma? Isso porque, após certo momento da refeição, dissestes teres te dado conta de qual recipiente estávamos nos servindo, pois não sei em que estavas pensando, mas nem por isso deixastes de lançar mão e de mastigar tua porção do alimento. Onde estavas com teu espírito, naqueles momentos em que não prestavas atenção enquanto comias? Desse modo, creia-me que é também de tais alimentos que se nutre a alma, a saber, de seus cuidados e de seus pensamentos, buscando com isso, se possível, perceber alguma coisa. Sobre essa questão surgiram dúvidas e criou-se um tumulto: Eu disse, não concordais comigo que a mente das pessoas muito doutas, de certo modo, é muito mais plena e desenvolvida do que a daqueles que não têm experiência? Afirmaram ser isso algo manifesto. Falamos corretamente, portanto, dizendo que as mentes daqueles que não foram instruídos em qualquer disciplina nada conseguem absorver das boas artes, sofrem de jejum e de fome. Trigésio interveio: julgo antes que seus ânimos estão cheios, mas de vícios e também de devassidão (*nequitia*). Creia-me, disse eu, que essas coisas para o espírito não passam de certa esterilidade e fome. Pois, do mesmo modo que o corpo, uma vez tendo-lhe sido suprimido o alimento, via de regra acaba cheio de doenças e pruridos, que indicam nele uma fome aguda, do mesmo modo os espíritos daqueles estão repletos de doenças, devidas à sua falta de alimento. Assim, os antigos entenderam que essa devassidão deveria ser chamada de a mãe de todos os vícios, pelo fato de ser vã, isto é, por ser a partir daquilo que nada é. A virtude contrária a esse vício se chama de frugalidade. Essa palavra vem pois de *frux* (*frugis*), quer dizer, fruto, em virtude de certa fecundidade dos espíritos; assim como aquela provém da esterilidade, isto é, do nada (*nihil*) e por isso é chamada de devassidão (*nequitia*). Nada é pois aquilo que flui, que se dissolve, que se liquefaz, e de certo modo sempre perece e se perde. É por isso que dizemos também que tais pessoas estão perdidas. Algo é, portanto, se permanece, fica constante, se é sempre o mesmo, como é o caso da virtude. A parte magnânima e a mais bela da virtude é o que se chama de temperança e frugalidade. Mas se isso vos parece ser muito obscuro para que possais compreender, com certeza irão concordar: se os espíritos dos inexperientes estão também eles alimentados, como os corpos, então podemos distinguir dois gêneros de alimentos para os espíritos: um saudável e também útil, e ou outro doentio e também pestilento.

Aquilo que não é sadio não apetece

2.9 Sendo assim, já que concordamos que no homem existem duas coisas, a saber, corpo e alma, julgo que no dia de meu aniversário devo oferecer uma refeição um tanto mais generosa não só aos nossos corpos, mas também aos espíritos. Mas só vou explicar-vos que refeição é esta se tiverdes fome para ela. Pois se vos convido, tentando vos fazer comer o que não vos apetece, acabo trabalhando em vão. É de se esperar, portanto, que desejeis mais esses víveres do que aqueles próprios para o corpo. E isso acontecerá se vosso espírito estiver sadio; os doentes, portanto, como podemos ver nas enfermidades físicas, recusam e afastam de si os alimentos. E todos, com gestos e com palavras, consentiram e disseram que queriam tomar e devorar o que quer que eu estivesse preparando.

Todos queremos ser felizes

2.10 Então retomei o discurso: *Todos queremos ser felizes?* Mal acabei de pronunciar isso, concordaram com uma só voz. Parece-vos, disse, que é feliz aquele que não tem o que quer? Negaram. Mas então, é feliz aquele que tem aquilo que quer? Então, minha mãe disse: Se a pessoa quer coisas boas e as tem, então é feliz; mas se quer coisas más, muito embora as possua, é miserável. Sorrindo e demonstrando minha alegria por gestos, eu disse a minha mãe: Atingiste, ó mãe, decididamente o ápice da filosofia, pois, sem sombra de dúvidas, só te faltaram as palavras de Cícero para poderes te expressar como ele, que falou a esse respeito. No *Hortênsio*, livro que ele escreveu sobre o louvor e a defesa da filosofia, disse o seguinte: "Eis que há pessoas que, mesmo não sendo filósofos, estão sempre prontos a disputar e debater, e todos eles afirmam serem felizes os que vivem de acordo com aquilo que querem. Isso porém é falso, pois querer aquilo que não convém representa a suma miséria. É menos miserável aquele que não consegue alcançar o que quer do que aquele que quer alcançar o que não convém. Assim, a malícia da vontade gera mais males do que os bens gerados pela fortuna (CÍCERO. Fragm. 39 6.B). Com essas palavras, ela prorrompeu em exclamação de tal modo que nos esquecemos totalmente de seu sexo e acreditamos ver entre nós algum varão ilustre; eu, porém, buscava compreender na medida do possível a partir donde fluíam a ela essas palavras e de que fonte divina provinham. E Licêncio disse: A ti cabe agora dizer o que deve desejar alguém para ser feliz, e com que coisas é importante que ele nutra seus desejos. Eu respondi: Convida-me para o teu aniversário, se te dignares, e comerei de boa vontade tudo que me ofereceres. Do mesmo modo, hoje peço que comas junto a mim, não exijas aquilo que talvez não tenha sido preparado. Tendo-se ele lamentado por essa advertência modesta e simples, eu disse então: Nisso portanto estamos de acordo, que não pode ser feliz alguém que não tem o que quer, e tampouco todo aquele que tem o que quer? E todos concordaram.

Não é feliz aquele que não pode ter aquilo que quer

2.11 Continuando, eu disse, concordais que todo aquele que não é feliz é miserável? Não duvidaram. Portanto, disse, todo aquele que não tem o que quer é miserável. Todos convieram. Eu disse então: o que deve conseguir alcançar o homem para ser feliz? Mas talvez esse algo seja servido também em nosso festim, isso para não nos esquecermos do grande apetite de Licêncio. Pois, na minha opinião, o que deve conseguir alcançar o homem feliz é poder ter aquilo que quer. Afirmaram que isso era algo evidente. Isso, disse eu, deve ser algo sempre permanente e que não depende da fortuna e do acaso. Isso porque não podemos ter quando queremos nem pelo tempo que queremos tudo que é perecível e mortal. Todos concordaram. Mas Trigésio objetou: Há muitas pessoas afortunadas que possuem essas mesmas coisas frágeis e sujeitas ao acaso, acumuladas largamente, e que mesmo assim são agradáveis para esta vida, e não lhes falta nada daquilo que querem. Ao que retruquei dizendo: A pessoa que teme parece-te ser feliz? Não me parece ser feliz, disse ele. E portanto se alguém pode vir a perder o que ama, pode por acaso não temer? Não pode, disse ele. Aqueles bens fortuitos, portanto, podem vir a ser perdidos. Quem os ama e possui, portanto, de modo algum poderá ser feliz. Nada retrucou. Nesse ponto minha mãe interveio: Mesmo tendo certeza, disse ela, de que esses bens perecíveis não irão ser perdidos, assim mesmo quem os possui não poderá sentir-se satisfeito com eles. Portanto é miserável também aquele que sempre tem necessidade de algo mais. Ao que eu retruquei: ora, se alguém dispusesse da abundância de todos esses bens e estivesse cercado deles, e viesse a estabelecer um limite àquilo que deseja, de maneira decente, desfrutando contente e alegre daquilo de que dispõe, não te parece ser feliz? Não seria feliz, disse ela, por causa daquelas coisas, portanto, mas por causa da moderação (*moderatio*) de seu espírito. Ótimo, disse eu, não poderias responder a essa interrogação de maneira diversa, nem tampouco eu deveria esperar que me respondesses de modo diferente. Portanto, de modo algum duvidamos que alguém decidido a ser feliz deve tentar alcançar algo que seja perene, que não possa ser-lhe roubado por algum tipo de acaso incontrolado. Mas já concordamos com isso há um bom tempo. O que vos parece, disse eu, é eterno e permanece para sempre? Licêncio disse: isso é tão seguro que não precisa sequer interrogar. E todos os outros consentiram com isso, com pia devoção. Então, quem tem Deus, disse eu, é feliz.

O que pensava cada um dos convidados

2.12 Acolheram a essa conclusão alegres e de boa vontade. Eu disse então: nada mais nos resta, me parece, para perguntarmos a não ser quem, dentre os homens, possui a Deus; pois certamente esse será feliz. Sobre isso vos pergunto o que pensais. Então Licêncio tomou a palavra: Possui a Deus quem vive bem. E Trigésio: Possui a Deus, disse ele, quem faz aquilo que Deus quer que seja feito. E Lastidiano concordou com essa opinião. Mas aquele menino, o mais novo de todos, disse: possui a Deus aquele que não tem um espírito impuro (cf. Mt 5,8). Minha mãe concordou com todas as respostas, mas sumamente com esta última. Navígio continuava calado. Quando lhe perguntei o que pensava sobre o assunto, me respondeu que lhe agradava a última resposta que fora dada. Mas pareceu-me que eu não deveria deixar de perguntar também a Rústico qual era seu pensamento em relação a um tão importante assunto, pois parecia-me que calava mais impedido por seu pudor do que por falta de deliberação. E ele disse concordar com a ideia de Trigésio.

O questionamento possui medida

2.13 Então eu disse: Vou ater-me então claramente à opinião de todos sobre coisa de tamanha importância, além da qual não há necessidade de questionar e nem se pode descobrir algo maior, se de algum modo nós a investigarmos de modo sereno e sincero, como já começamos a fazê-lo. E, uma vez que essa questão é por demais longa para ser abordada hoje – e visto que também os espíritos possuem uma certa luxúria em relação aos seus festins, luxúria que se dá quando se lançam sobre seu banquete precipitadamente e com voracidade (o que lhes pode causar, de algum modo, indigestão; e sabendo que não se deve temer menos pela saúde das mentes do que pela própria fome) –, seria melhor, portanto, tratar dessa questão amanhã, com apetite renovado. Gostaria, então, que degustásseis com prazer apenas aquilo que de súbito me veio à mente para vos oferecer, como vosso anfitrião. E, se não me engano, é algo como se costuma servir em último lugar nos banquetes, algo como que feito e confeccionado e aromatizado pelo mel escolar. Tendo ouvido isso, todos se levantaram como que estendendo o prato, solicitando que me apressasse em dizer do que se tratava. O que vos parece, disse eu, não concluímos toda a discussão que começamos com os acadêmicos? Uma vez tendo ouvido esse nome, três dos que estavam a par da questão em causa logo se puseram prontamente em pé, de mãos estendidas, como é de costume fazer para ajudar ao servente o quanto puderam, demonstrando através de palavras que nada lhes trazia mais alegria do que ouvir tal coisa.

Os acadêmicos, que não alcançam a verdade, carecem de felicidade...

2.14 Depois disso, propus a seguinte questão: é algo evidente que não é feliz aquele que não possui o que quer, o que já foi demonstrado anteriormente através da razão, e ninguém busca aquilo que não quer encontrar; também os acadêmicos buscam sempre a verdade, querem portanto conseguir a verdade, querem pois possuir o modo de conseguir a verdade. Mas eles não conseguem encontrá-la, e se conclui portanto que não possuem aquilo que querem; daí se deduz que não são felizes. E ninguém é sábio se não for feliz; o acadêmico portanto não é sábio. Com isso, de súbito, todos eles exultaram como que apoderando-se da totalidade que lhes era oferecida. Todavia, Licêncio, um tanto mais atento e cauteloso, receava dar sua aprovação, e acrescentou: Eu também me apropriei do prato junto convosco, pois comovido também exultei com aquela conclusão. Todavia, nada disso ainda coloquei no estômago, e vou reservar minha porção para Alípio, pois, ou ele irá prová-lo junto comigo ou então irá admoestar-me sobre as razões por que não deve ser tocada. Quem mais deveria temer essas coisas doces é Navígio, com seu fígado intoxicado. Este, sorrindo, respondeu: muito pelo contrário, tais iguarias iriam me curar. Não sei explicar como, mas aquilo que propusestes de complexo e picante parece ser, como disse alguém, o mel himeto, agridoce, não prejudica o estômago. Razão por que, na medida em que me é possível, vou ingerir com gosto essa iguaria em sua totalidade, muito embora seja um tanto picante ao paladar. Não vejo como, pois, se possa refutar essa conclusão. De modo algum se poderá fazê-lo, disse Trigésio. Essa é a razão por que me alegro há algum tempo de nutrir inimizade com eles. Uma vez que não sei por que impulso da natureza ou, para dizer com maior verdade, por que impulso divino, mesmo não sabendo como esses devem ser refutados, sempre nutri grande antipatia por eles.

...a opinião de Agostinho contra Licêncio

2.15 Nesse ponto Licêncio disse: Eu ainda não vos abandono. E Trigésio lhes disse: Portanto, não concordas conosco? Será que não sois vós, disse ele, que discordais de Alípio? Ao que eu repliquei: não duvido que, se Alípio estivesse aqui presente, aceitaria esses diminutos raciocínios. Ele respondeu: Não poderia com efeito aceitar algo assim absurdo de considerar feliz aquele que não detivesse o bem do espírito que desejaria ardentemente possuir, ou que aqueles não quisessem alcançar a verdade, ou ainda que aquele que não é feliz fosse sábio; isso porque aquilo que temes degustar é confeccionado com esses três componentes, como que feitos de mel, farinha e amêndoas. Será que ele cederia a esse pequeno atrativo infantil, deixando de lado tanta abundância dos acadêmicos, a qual poderia, talvez, inundar esse teu diminuto argumento, esmagando-o ou arrastando-o para longe? Como se, disse eu, estivéssemos procurando alguma longa argumentação, sobretudo contra Alípio; pois ele mesmo demonstra suficientemente por meio de tua presença que esses argumentos são fortes e úteis. Tu, porém, que escolhestes depender de uma autoridade ausente, com qual desses argumentos não concordas? Se não seria feliz aquele que não possui o que quer: ou se negas que os acadêmicos buscam possuir a verdade que questionam com veemência? Ou se te parece que alguém seria sábio, mas não feliz? É certamente feliz, disse, quem não possui aquilo que quer, sorrindo um tanto contrafeito. Dei ordem para que isso fosse registrado por escrito. Ele exclamou: não foi isso que eu disse. O que novamente acenei para que fosse registrado. Sim, disse ele, eu o disse. Eu ordenara de uma vez para sempre que não se deixasse proferir palavra alguma sem ser registrada. Era assim que eu mantinha aquele adolescente inquieto entre a vergonha e a constância.

Mas Mônica chama-os de caducos (epiléticos)

2.16 Todavia, na medida em que brincávamos assim com ele, com essas palavras, como que provocando-o a ingerir sua pequena porção, dei-me conta de que o restante do grupo ignorava totalmente o assunto em questão; nos olhavam seriamente desejando saber o que se debatia com tanta profusão de ânimo entre nós apenas. Com isso, me dei conta de que estes se assemelhavam com pessoas que, muito frequentemente, costumam se encontrar tomando suas refeições entre convivas avidíssimos e glutões e se contêm por discrição ou se abstêm tímidos por pudor. E visto que fora eu a convidar a todos, e [tu, ó Teodoro] me havias ensinado a, naqueles banquetes, sustentar o papel de um anfitrião enquanto um homem ilustre, e para dizê-lo abertamente exercer o papel de um verdadeiro homem, fiquei impressionado no momento em que vi tal desigualdade e discrepância em nossa mesa. Sorri para minha mãe. E ela, então, com muita liberdade, ordenou que se fosse buscar aquilo de que nos faltava, como se fosse de sua despensa: diga-nos, então, falou ela, quem são esses acadêmicos e o que buscam para si. Então expus o assunto de forma breve e clara, de modo que ninguém deles pudesse dali afastar-se sem ter conhecimento da questão. Esses homens, disse ela, são caducos (nome empregado entre nós usualmente para indicar aqueles que sofrem de epilepsia). Imediatamente levantou-se para ir embora; a esse ponto, todos nós, contentes e sorridentes, colocamos fim às discussões e também nos retiramos.

Possuir a Deus é viver de modo feliz (3,17-22).

Capítulo 3
Recapitulação do que fora dito anteriormente

3.17 No dia seguinte, pois, logo após termos tomado a refeição, mas um pouco mais tarde que no dia anterior, nos reunimos as mesmas pessoas no mesmo local. Iniciei dizendo: Tarde viestes ao banquete hoje. Julgo que isso não se deva à indigestão do banquete de ontem, mas à certeza de que os alimentos ofertados hoje seriam escassos. Talvez vos pareça não deverem tomar logo cedo um alimento que rapidamente julgais irá perecer. Realmente, não era de se esperar que tivessem restado sobras do dia precedente, do dia da solenidade de meu aniversário, visto o banquete já se mostrar modesto no mesmo dia. Pensais assim, quem sabe, corretamente. Todavia, o que vos foi preparado, eu próprio também desconheço convosco. Há um Outro que não cessa de oferecer a todos todas essas iguarias, e maximamente essas. Nós, todavia, nos abstemos seguidamente de sorvê-las por fraqueza, por fastio ou por excesso de ocupações. Ontem, concordamos todos, se não me engano, de forma piedosa e firme, que se Este permanece presente na vida dos homens, torna-os felizes. Isso porque, uma vez que foi demonstrado racionalmente que é feliz quem possui a Deus, e que ninguém dentre vós contradisse tal opinião, foi questionado então sobre quem julgais vós possuir a Deus. Sobre o que, se bem me recordo, surgiram três opiniões. Parte de vós estimaram que possui a Deus aquele que faz o que é a vontade de Deus. Outros afirmaram, porém, que possui a Deus quem vive bem. Ao restante, todavia, pareceu que Deus estaria naqueles em quem não se encontra um espírito impuro.

Através de diversos discursos, os que disputavam concordaram numa opinião única

3.18 Talvez, mesmo usando palavras diversas, sejamos unânimes na opinião sobre o mesmo. Isso porque, se considerarmos as duas primeiras opiniões, vemos que todo aquele que vive bem faz a vontade de Deus, e todo aquele que faz o que Deus quer vive bem; e viver bem nada mais é que fazer aquelas coisas que agradam a Deus. A não ser que sejais de outra opinião. Todos concordaram. A terceira opinião, porém, deve ser considerada com um pouco mais de diligência; isso porque o termo *espírito imundo*, segundo o rito dos mistérios sagrados castos, pelo quanto me é dado compreender, costuma ser dito de dois modos diversos: Ou se trata daquele que invade a alma, a partir de fora, perturbando os sentidos, provocando nas pessoas uma espécie de loucura; para afastá-los, se diz que os ministros lhes impõem as mãos ou exorcizam-nos, expulsando-os pela invocação de Deus; ou, de outro modo, se diz espírito imundo a toda alma totalmente impura, que nada mais é que uma alma infestada de vícios e erros.

Por isso, pergunto a ti, ó jovem, que propusestes

quem sabe essa opinião com espírito um tanto mais sereno e puro, quem, na tua opinião, não possui esse espírito impuro: aquele que está livre de demônios, que costumam tornar dementes os homens, ou aquele que já purificou sua alma dos vícios e de todos os pecados? Parece-me, disse ele, não ser tomado por um espírito imundo aquele que vive castamente. Mas eu questionei: A quem chamas de casto? Aquele que não comete nenhum pecado ou apenas aquele que se abstém de manter relações ilícitas? Como pode ser casto, disse, se se limitar a abster-se apenas dessas relações e não deixa de contaminar-se com outros pecados? É verdadeiramente casto aquele que fixa seu olhar em Deus e só nele se mantém preso. Como me agradassem muito tais palavras do jovem, ordenei que fossem registradas tal qual foram ditas; é necessário, portanto, continuei, que este viva bem, e quem vive bem é necessariamente casto, a não ser que sejas de outra opinião. Ele assentiu assim como os demais. Portanto, disse eu, aqui chegamos a uma opinião unânime.

Se buscar a Deus é viver feliz

3.19 Agora quero propor-vos uma pequena questão: Será que Deus quer que o homem o busque? Eles concordaram. Então pergunto: Será possível afirmar que aquele que busca a Deus vive mal? De modo algum, afirmaram. Respondei-me também essa terceira questão: O espírito imundo poderia buscar a Deus? Negaram todos, apenas Navígio parecia um tanto duvidoso, mas logo formou coro com os demais. Portanto, quem busca a Deus, disse eu, faz aquilo que Deus quer, vive bem e está livre do espírito imundo, mas quem busca a Deus ainda não o possui; e quem quer que viva bem ou que faça aquilo que Deus quer, ou que está livre do espírito imundo, deve-se dizer que nem por isso se segue que possua a Deus. Nesse ponto, todos começaram a rir dando-se conta de terem sido enganados por suas próprias concessões, e então minha mãe, que permanecera por um tempo perplexa, pediu-me que eu lhe explicasse, de forma mais detalhada e diluída, isso que eu dissera de forma distorcida por necessidade de tirar uma conclusão. Tendo eu atendido sua solicitação, disse ela: Mas ninguém pode chegar a Deus se não tiver buscado a Ele. Ótimo, disse eu. Muito embora quem ainda busque ainda não tenha chegado a Deus, e já vive bem. Portanto, não se pode concluir que quem vive bem possui a Deus. A mim, disse ela, parece-me que não há ninguém que não tenha a Deus, todavia, quem vive bem o tem como propício, e quem vive mal, o tem como hostil. Então eu disse: fizemos mal em concordar, ontem, que é feliz quem possui a Deus; porquanto todo homem possui a Deus, mas nem por isso todo homem é feliz. Acrescenta, pois, disse ela, quem o tem como propício.

A objeção de Navígio em relação à questão se o sábio acadêmico busca a Deus

3.20 Ora, fica suficientemente estabelecido entre nós, pelo menos, que é feliz aquele que possui a Deus como propício? Navígio disse: Gostaria de estar de acordo com isso, todavia temo por aquilo que ainda requer investigação; sobretudo que não venhas a concluir que feliz seriam os acadêmicos, os quais, ontem, foram qualificados com o termo *caducos* (*caducarius* = epiléticos), uma palavra vulgar e bem pouco latina, mas bastante apropriada na minha opinião. Pois não posso afirmar que Deus seria hostil à pessoa que o busca; e se tal afirmação não é direita, segue-se que ele será propício a quem o busca. E quem tem a Deus como propício é feliz. Será feliz, portanto, aquele que busca; mas todo aquele que busca nem por isso já possui aquilo que quer. Será feliz, portanto, a pessoa que não possui aquilo que quer, o que ontem pareceu a todos nós como absurdo, quando acreditávamos que as trevas que reinavam sobre os acadêmicos haviam sido dispersas. Essa é a razão por que Licêncio irá festejar a vitória sobre nós; e a mim, particularmente, como um médico prudente, irá admoestar-me de que aquelas guloseimas que ingeri imprudentemente contra minha própria saúde estão exigindo de mim uma punição.

Quem busca e tem a Deus como propício está apto para a vida feliz

3.21 Nesse ponto, inclusive minha mãe sorriu. De minha parte, disse Trigésio, não concordo prontamente que Deus seja hostil a quem não é propício; julgo que Ele seja algo de meio-termo. Ao que retruquei: concordas porém que esse homem que dizes estar num estágio intermediário, a quem Deus não é nem propício nem hostil, concordas que de algum modo ele possui a Deus? Uma vez que ele hesitava, minha mãe tomou a palavra, dizendo: uma coisa é possuir a Deus, outra coisa não estar sem Deus. Então disse eu: O que é melhor, possuir a Deus ou não estar sem Deus? O quanto me é dado compreender, disse ela, minha opinião é de que quem vive bem possui a Deus, mas como propício; quem vive mal possui a Deus, mas como hostil. Quem está à procura ainda não o encontrou; a este, Deus não é nem propício nem hostil, mas ele não está sem Deus. Essa é a vossa opinião também, perguntei? Afirmaram ser. Peço que me digais, disse eu, não vos parece que Deus é propício àquele a quem Ele favorece? Concederam ser assim. E Deus não favorece a pessoa que o busca? Sim, responderam que Ele favorece.

Portanto, disse eu, aquele que busca a Deus tem Deus como propício, e todo aquele que tem a Deus como propício é feliz. É feliz, portanto, também aquele que busca. Mas quem busca ainda não possui aquilo que quer. Será feliz, portanto, aquele que não tem aquilo que quer. Absolutamente, disse minha mãe, a mim não parece que seja feliz quem não possui o que quer. Portanto, disse eu, nem todo aquele que tem a Deus como propício é feliz. Se essa é uma conclusão exigida pela razão, disse ela, não posso negar. Essa será portanto, disse eu, a classificação das questões: aquele que encontrou a Deus e o tem como propício é feliz; todo aquele que procura a Deus tem a Deus como propício, mas ainda não é feliz; todavia todo aquele que se afasta de Deus por causa dos vícios e pecados não só não é feliz, mas nem sequer Deus é propício a seu viver.

Se alguém que ainda está buscando Deus é necessariamente infeliz

3.22 Essas palavras agradaram a todos. Então eu disse: Está bem, mas ainda temo que possa vos comover aquilo que concedemos acima, a saber, que todo aquele que não é feliz é miserável; a consequência disso será que será infeliz o homem que [tendo a Deus como propício, e estando ainda a buscar a Deus, todavia ainda não seria feliz]. *Ou será*, como disse Cícero, que *chamamos de ricos aos proprietários de muitas fazendas e de pobres aos que possuem todas as virtudes*? (CÍCERO. *Hort*. Fragm. 104). Mas vos peço que considereis o seguinte, se é verdade que todo aquele que é indigente é miserável, e do mesmo modo se é verdade que todo miserável sofre indigência. Desse modo, será verdade que a miséria nada mais seria que a indigência, opinião aprovada por mim quando me pediram para que eu a dissesse. Mas essa questão é por demais extensa para que a abordemos no dia de hoje; razão pela qual peço que, se não vos for incômodo, retorneis a essa mesa no dia de amanhã. E uma vez que todos afirmaram que seria um prazer enorme ali retornar no dia seguinte, levantamo-nos.

A vida feliz reside na plenitude e na medida (modus) (4,23-36).

Capítulo 4
O que vem a ser indigência

4.23 Mas no terceiro dia de nosso debate matutino dissipou-se a névoa que nos mantinha restritos à sala das termas, e após o meio-dia o tempo se tornou muito sereno. Sentimos vontade de descer até o campo próximo, e cada um de nós sentou-se num lugar que considerava cômodo para si, assim se deu o restante de nosso debate. Retenho e conservo quase tudo, disse eu, que me respondestes ao que vos interroguei; essa é a razão pela qual no dia de hoje, pelo que me parece, nada ou bem pouco resta a que seja necessário vós me responderdes. Minha mãe afirmou que a miséria nada mais seria que a indigência e, entre nós, concordamos então que aquele que é indigente é miserável. Todavia, resta ainda certa dúvida sobre o fato de que todo aquele que é miserável é indigente. No dia de ontem não conseguimos dirimir essa questão. Todavia, se conseguirmos demonstrar pela razão que as coisas são assim, teremos descoberto e encontrado quem é feliz, a saber, seria aquele que não é indigente. Isso porque todo que não é miserável é feliz. É feliz, portanto, aquele que não tem indigência, se por acaso aquilo que denominamos de indigência vier a se mostrar como a mesma coisa que a miséria.

Não se pode deduzir sem mais que quem não tem indigência é feliz...

4.24 Mas então, disse Trigésio, não podemos concluir que todo aquele que não é indigente é feliz, uma vez que é evidente que todo aquele que é indigente é miserável? Isso porque me lembro de que já consentimos que nada haveria de intermédio entre o miserável e o feliz. Então retomei a palavra e disse: Parece-te haver alguma coisa intermediária entre o morto e o vivo? Todo homem não é ou vivo, ou morto? Confesso que é verdade, disse ele, tampouco aqui haveria algo de intermediário. Todavia, para onde queres levar a questão? É porque, disse eu, também isso creio que vás confessar ser verdade, a saber, que todo aquele que foi enterrado há um ano está morto. Ele não negou isso. Ora, então se pode deduzir que todo aquele que não foi enterrado há um ano é vivo? Não se pode tirar essa conclusão, disse ele. Portanto, retruquei, não se pode concluir que se todo aquele que é indigente é miserável, todo aquele que não é miserável é feliz, muito embora entre o miserável e o feliz, assim como entre o vivo e o morto, não se possa encontrar nada de intermediário.

...porque a vida feliz está enraizada no *animo* (*animus*)

4.25 E uma vez que alguns deles tardassem a compreender a conclusão, com procurando as melhores palavras tentei desdobrar e transpor aquela conclusão, acomodando-a à sua compreensão. Portanto, disse eu, ninguém duvida de que é miserável todo aquele que é indigente, tampouco nos assustamos que os sábios tenham necessidades físicas. Todavia, não são indigentes de espírito, onde está enraizada a vida feliz. Este é perfeito, e nada que é perfeito é indigente de alguma coisa. E serve-se de tudo que lhe parece ser necessário ao corpo, se lhe estiver disponível. E se não houver disponível, a carência dessas coisas não irá perturbá-lo. Todo aquele que é sábio é forte e quem é forte nada teme. O sábio, portanto, não teme a morte corporal, dores, caso vierem a faltar as coisas necessárias que servem para combater, evitar ou retardar esses males. Tampouco deixa de fazer bom uso dos mesmos, quando não lhe faltam. É veríssima então aquela sentença que diz: *Pois é algo tolo submeter-se ao que podes evitar* (TERÊNCIO. *Eun.*, 761).

Evitará portanto a morte e a dor, o quanto é possível e o quanto convém, pois, se evitar minimamente isso, não seja miserável por acontecerem tais coisas, mas porque, podendo evitá-las, não quis fazê-lo. E isso é um sinal claro de estultícia. Portanto quem não evitar essas coisas será miserável não por tolerar tais coisas, mas por estultícia. Mas, se não conseguir evitá-los, mesmo tendo agido com aplicação e decência, essas coisas que lhe acontecem não o tornarão miserável. E também essa opinião do mesmo cômico não é menos verdadeira: *Porque se não pode vir a realizar-se aquilo que queres, busca querer aquilo que é possível* (TERÊNCIO. *Andria*, 305-306).

Como será miserável se nada lhes acontece fora de sua vontade? Isso porque ele não pode querer aquilo que percebe não poder alcançar. Possui, portanto, a vontade das coisas certíssimas, isto é, de tal modo que o que quer que venha a fazer, o faça em virtude de algum prescrito e lei divina da sabedoria, que de forma alguma lhe pode ser tirado.

E, ao contrário, é indigente aquele que é miserável por carência de sabedoria

4.26 Já podeis entrever, por aí, se todo aquele que é miserável também seria indigente. O que cria certa dificuldade para que se concorde com tal ideia é que, muitos que dispõem de grande quantidade de bens passageiros, a esses parece que todas as coisas se tornem tão cômodas que, por um aceno seu, quaisquer desejos seus são prontamente atendidos, e, todavia, essa vida lhe é difícil. Suponhamos, todavia, existir alguém, como disse Cícero, um sujeito chamado Orata (cf. CÍCERO. *Hort*. Fragm. 10). Quem, pois, poderia dizer facilmente que Orata sofre de indigência, sendo um homem muito rico, extremamente agradável e encantador, a quem jamais nada faltou daquilo que desejasse, nem beleza nem saúde boa e perfeita? Dispunha em abundância de propriedades rentáveis e amigos que lhe proporcionavam toda alegria que quisesse. Desses bens soube lançar mão com maestria em prol da saúde do corpo; e (para resumir) todos os seus projetos e vontades resultavam em resultados prósperos. Alguém de vós poderá objetar, porém, que ele poderia querer ter mais do que possui. Parece-vos que ele seria indigente de alguma coisa? Mas mesmo que eu concorde, disse Licêncio, que ele não deseje ter mais do que possui, coisa que não saberia como possa acontecer num homem não sábio, ele temeria, porém (pois, como se diz, dispunha de bom entendimento das coisas), que uma adversidade inesperada pudesse vir a roubar-lhe todos esses bens. Não era preciso muita inteligência para compreender que todos esses bens, por maiores e mais abundantes que fossem, estavam sujeitos à eventualidade. Sorridente, então, retomei a palavra e disse: Vês, Licêncio, que esse homem afortunadíssimo acabou impedido de alcançar a vida feliz por ter bom caráter. Isso porque, uma vez que tinha uma inteligência aguda percebia que poderia vir a perder todos os seus bens. Sentia-se abatido pelo medo e repetia muitas vezes aquele dito popular: *o homem incrédulo acaba sendo cordato com seu mal* (PLUTARCO. *De tranq. an.* 1, 465c.).

A estultícia, portanto, é a mais alta indigência...

4.27 A esta altura, como tanto ele quanto o restante do grupo sorrissem, acrescentei: Examinemos com mais atenção esse ponto, porque, mesmo que não temesse, este Orata não sofria indigência. Assim, surge a seguinte questão: A indigência consiste em não ter e não no temor de vir a perder aquilo que possuis. Mas este era miserável porque temia, muito embora não sofresse indigência. Portanto, nem todo aquele que é miserável sofre indigência. Minha mãe, cuja opinião eu estava defendendo, aprovou com o restante, todavia demonstrou certa dúvida: não sei, disse ela, pois ainda não consigo compreender perfeitamente como a miséria pode ser separada da indigência e a indigência ser separada da miséria. Pois também este que era rico e gozava de abundância, e como disseste nada mais desejava, uma vez que temia perder o que tinha, era indigente de sabedoria. Deveríamos então chamá-lo de indigente se carecesse de dinheiro e de fundos, mas não qualificá-lo assim se carecer de sabedoria? Todos aclamaram com admiração. Eu também fiquei não menos animado e alegre de ouvir, especialmente dela, aquilo que preparava, tirando-o dos livros dos filósofos, para apresentar por último como ponto alto da discussão. Percebeis, disse eu, a diferença que existe entre as muitas e diversas doutrinas e um espírito atentíssimo a Deus? Pois, de onde procedem essas palavras que nos causaram admiração se não dele? Nesse ponto, Licêncio, contente, exclamou: Seguramente não se poderia ouvir algo mais verdadeiro, algo mais divino, pois não pode haver indigência maior e mais miserável do que ser indigente de sabedoria. E quem não é indigente de sabedoria não poderia ser, absolutamente, indigente de nada.

...e a sabedoria é a vida feliz, a estultícia é a miséria

4.28 A indigência do espírito nada mais é portanto que estultícia. Essa é portanto contrária à sabedoria, tão contrária quanto a morte em relação à vida, e a vida feliz em relação à miséria. É assim, sem qualquer situação intermediária, pois, do mesmo modo que todo homem que não é feliz é miserável, também todo homem que não está morto vive. Assim todo aquele que não é estulto é evidente ser sábio. E a partir daqui é lícito concluir e já se pode ver que aquele Sérgio Orata não era miserável apenas pelo fato de poder perder a fortuna de suas posses, mas porque era estulto. E seria ainda mais miserável se absolutamente não temesse as coisas tão instáveis e incertas que ele considerava como bens. Então ele estaria mais seguro, não por causa de uma fortaleza vigilante, mas por causa de um torpor da mente, e seria miserável, mergulhado numa estultícia mais profunda. Se, de um lado, todo aquele que carece de sabedoria sofre de grande indigência, e, por outro, quem está de posse da sabedoria de nada carece, segue-se que a estultícia se identifica com a indigência. Como todo aquele que é estulto é miserável, todo aquele que é miserável é estulto. Fica demonstrado portanto que toda indigência é miséria, assim como toda miséria é indigência.

A estultícia é o verbo do não ter

4.29 E, visto que Trigésio confessava pouco ter compreendido dessa conclusão, eu falei: No que concordamos entre nós, usando da razão? É indigente, disse eu, aquele que não possui sabedoria. O que é portanto ser indigente? É não possuir sabedoria. E o que significa, disse eu, não possuir a sabedoria? E visto que se calasse, eu disse, não será possuir estultícia? Sim, disse ele, é isso. Não é diferente portanto, afirmei, ser indigente e ser estulto. Essa é a razão pela qual é necessário designar a indigência com outro termo, quando se tem de denominar a estultícia. Todavia, não sei por que dizemos tem indigência ou tem estultícia. É como quando dizemos que algum lugar que está privado de luz possui as trevas, o que não significa outra coisa do que não ter luz. Não é assim que as trevas, de algum modo, advenham a ou recuem de um lugar; mas a privação da luz já é, ela mesma, o ser da escuridão, como a privação de roupas já significa estar nu. As coisas não se dão assim: uma vez tendo vestido as roupas, a nudez fugiria como se fosse alguma coisa móvel. Assim, pois, dizemos que quando alguma coisa sofre de indigência é como se disséssemos que ela sofre de nudez. Indigência é a palavra que serve para significar não ter. Por isso, para explicar esse raciocínio da melhor maneira que posso, quando se diz "sofre de indigência" é como se se dissesse "sofre do não ter". Assim, se ficou demonstrado que a estultícia é a própria privação, verdadeira e certa, peço que examines agora se já ficou solucionada a questão que colocamos acima. Estávamos em dúvida se ao nomear a palavra *miséria* não queríamos simplesmente dizer *indigência*. Concordamos com o raciocínio de que a estultícia poderia ser chamada verdadeiramente de indigência. Pois, assim como todo aquele que é estulto é miserável e todo aquele que é miserável é estulto, é necessário que admitamos que não só aquele que é indigente seja miserável, mas também que todo aquele que é miserável seja indigente. E, portanto, do fato de compreendermos que todo aquele que é estulto é miserável se deduz igualmente que estultícia é miséria. Assim, pois, da conclusão de que qualquer um que seja miserável é indigente e que quem quer que seja indigente é miserável, temos de admitir que miséria nada mais é que indigência.

Portanto, a indigência se opõe à plenitude...

4.30 E visto que todos admitiram que assim eram as coisas, prossegui dizendo que precisávamos examinar para ver quem não estaria submisso à indigência. Esse portanto será sábio e feliz. Todavia, a indigência é estultícia; a palavra *indigência* (*egestas*) costuma significar, porém, certa esterilidade e insuficiência (*inopia*). Observai agora com mais atenção com que cuidado nos primórdios os homens criaram todas as palavras ou, como é manifesto aqui, algumas palavras, sumamente indispensáveis para o conhecimento das coisas que lhe diziam respeito. Já concordastes, pois, que todo aquele que é estulto sofre de indigência e todo aquele que é indigente é estulto. Também acredito que ireis concordar que o espírito estulto é cheio de vícios, e que todos os vícios do espírito podem ser incluídos unitariamente na palavra *estultícia*. No início de nosso debate afirmamos que o primeiro desses vícios seria a devassidão (*nequitia*), assim chamada por ser *não alguma coisa* (*necquidquam*). O seu contrário seria a frugalidade, palavra que provém de fruto (*frux, frugis*). Portanto, nesses dois contrários, isto é, na frugalidade e na devassidão, vemos sobressaírem-se esses dois elementos, ser e não ser. Mas agora que estamos tratando da indigência, o que consideramos ser o seu contrário? E nisso todos ficaram um tanto vacilantes. Trigésio tomou a palavra e disse: se digo que é a riqueza, percebo que seu contrário seria a pobreza. Eu retruquei: é portanto bem próximo a isso, uma vez que a pobreza e a indigência costumam ser concebidas como uma só coisa e até como idênticas. No entanto, é preciso encontrar um outro termo, para que não falte um vocábulo para designar a melhor parte, visto que para a parte da pobreza e da indigência há abundância de vocábulos, e na outra parte não se lhe oponha a não ser a palavra *riqueza*. E nada mais absurdo que haja indigência de vocábulos justamente na parte que é contrária à indigência. Se podemos assim afirmar, disse Licêncio, parece-me que a palavra correta que se opõe à indigência é *plenitude*.

...que está radicada na medida e na temperança

4.31 Sobre esse termo, talvez possamos investigar com mais cuidado a seguir, disse eu. Na pesquisa comum da verdade não é necessário que nos detenhamos com esses cuidados. Muito embora Salústio, agudíssimo pensador das palavras, ao termo *indigência* opusesse o termo *opulência* (cf. SALLUSTIO. *Cat.*, 52, 22), eu próprio também admito que poderia ser o termo *plenitude*. Tampouco aqui deveremos temer os gramáticos, ou ficar preocupados de sermos castigados por eles por termos usado, sem investigar, palavras que nos colocaram à disposição para uso as coisas que esses termos indicam. E uma vez que começassem a rir, eu disse: portanto, visto que estais voltados para Deus, resolvi não desprezar vossas mentes, considerando-as como se fossem oráculos; analisemos então o que quer dizer esse termo; pois me parece não haver nenhum outro mais próprio para exprimir a verdade. Portanto, a plenitude e a indigência são elementos contrários; mas também aqui, como no caso da devassidão e da frugalidade, aparecem aqueles dois termos opostos, ser e não ser. E se a indigência é a própria estultícia, a plenitude será a sabedoria. Com razão, muitos afirmaram que a frugalidade seria a mãe de todas as virtudes. Também Cícero, num discurso popular, concordou com essa verdade dizendo: Cada um pode ter sua opinião, mas eu julgo que a frugalidade, isto é, a modéstia e a temperança, é a virtude máxima (CÍCERO. *Pro Deiot.*, 9,26). Considerou assim como o mais douto e o mais adequado o fruto, isto é, aquilo que chamamos de Ser, que é contrário ao não ser. Mas, por causa do hábito vulgar de falar, pelo qual se costuma dizer que a frugalidade seria algo como parcimônia, tratou em seguida de explicitar seu modo de pensar acrescentando dois termos, a modéstia e a temperança, termos que queremos examinar com mais cuidado a seguir.

Portanto, a sabedoria é plenitude...

4.32 A modéstia se chama assim porque provém de *medida* (*modus*), assim como a temperança provém de *boa proporcionalidade* (*temperies*). Mas, onde há medida e boa proporcionalidade em algo, não há nem o mais nem o menos. Essa é portanto a plenitude, a qual acertamos em afirmar ser contrária à indigência; essa afirmação tem muito mais acerto do que se houvéssemos colocado a abundância como seu contrário. Por *abundância* compreende-se portanto uma afluência e como que uma profusão extremamente exuberante de alguma coisa. E quando acontece de ultrapassar o nível do satisfatório, também ali se deseja que haja medida, e a coisa que é exagerada carece de medida. Portanto, a indigência não é alheia sequer a essa redundância. Mas o mais e o menos são alheios à medida. Debatendo a questão pode-se ver que a própria opulência nada mais contém do que medida. Pois *opulência* se diz por provir da palavra *ops**. Mas como pode ajudar (*opitulor*) aquilo que é exagerado, visto que muitas vezes ele é mais incômodo que o pouco? Qualquer coisa, portanto, que seja muito pouca ou exagerada, visto carecer de medida, está submissa à indigência. A medida do espírito é, portanto, a sabedoria. Isso porque, não se pode negar, a sabedoria é contrária à estultícia, a estultícia é a indigência, mas a indigência é contrária à plenitude. A sabedoria é portanto a plenitude. Mas na plenitude vige a medida. A medida para o espírito, portanto, está na sabedoria. Donde provém aquele ditado, que não imerecidamente se tornou famoso, que afirma:

Essa é a primeira coisa útil na vida, a saber, nada em demasia (TERÊNCIO. *Andria*, 61; cf. tb. PLUTARCO. *De tranq. an.*, 16, 474c.).

...e medida

4.33 No início de nossas disputas de hoje, afirmamos que se descobríssemos que a miséria nada mais seria que a indigência, declararíamos ser feliz aquele que não é indigente. Ora, isso foi realmente constatado: Portanto, ser feliz nada mais é que não ser indigente, isto é, ser sábio. Mas, se agora perguntardes o que seria a sabedoria (a razão humana, na medida de suas forças, já tentou explicar e desvendá-la), diria que nada mais é que a medida do espírito, isto é, aquilo pelo que o espírito busca o equilíbrio de modo que não incorra no excesso e nem tampouco se restrinja ao que é inferior à plenitude. É assim que o espírito incorre em luxúrias, na busca de poder, no orgulho,

---

* *Ops* remete a *Opis*, deusa da abundância; a terra, identificada com Cibele (*Ov. Met.*, 9,498). Por isso, pode significar abundância, recursos, riquezas; poder, força; mas também ajuda, auxílio [N.T.].

e coisas do gênero, nas quais os espíritos dos que não têm moderação e dos míseros imaginam alcançar para si alegrias e poderes. Eles se restringem porém a imundícies, temores, tristezas, cupidez e muitos outros fatores quaisquer, pelos quais até os míseros confessam serem homens míseros. Todavia, uma vez que o espírito contempla a sabedoria que veio a descobrir, e para usar as palavras desse jovem, quando a ela se atém, nenhuma vaidade irá movê-lo a voltar-se para a falsidade dos ídolos, abraçado ao peso dos quais costuma decair e abismar-se para longe de seu Deus. Não teme nenhuma falta de moderação e, assim, nenhuma indigência e nem portanto a miséria. Aquele que é feliz, portanto, tem sua justa medida, isto é, a sabedoria.

Deus é a suprema plenitude e a medida pela qual a verdade...

4.34 O que deveremos chamar à sabedoria, se não a chamarmos de sabedoria de Deus? Mas também aprendemos da autoridade divina que o Filho de Deus nada mais é que a Sabedoria de Deus (1Cor 1,24); e o filho de Deus é seguramente Deus. Todo aquele que é feliz, portanto, tem a Deus; essa afirmação agradou a todos nós, já no início de nosso banquete. Mas o que julgais ser a sabedoria, se não for a verdade? Pois também isso foi dito: *Eu sou a verdade* (Jo 14,6). Mas para que a sabedoria seja a verdade tem de vir a ser por alguma medida suprema, da qual procede e para a qual, estando perfeita, retorna. Mas à medida suprema não se impõe nenhuma outra medida superior; se a medida suprema é o que é através da suprema medida, então é medida por si mesma. Mas também a medida suprema deve existir necessariamente para que haja medida verdadeira. Assim, como a verdade nasce pela medida, assim a medida se conhece pela verdade. Jamais poderá haver, portanto, verdade sem medida, nem medida sem verdade. Quem é o Filho de Deus? Foi dito que Ele é a *Verdade*. Quem é aquele que não tem Pai, e quem mais poderia ser senão a medida suprema? Portanto, todo aquele que chegar à medida suprema pela verdade é feliz. É isto então possuir a Deus no espírito, isto é fruir a Deus. Todo o restante, pois, embora procedendo de Deus, não possui a Deus.

...que encontramos nos torna felizes

4.35 Mas, dessa mesma fonte da verdade, emana certa advertência que nos impulsiona a recordar a Deus, para buscá-lo, para que sintamos sede dele, repelindo todo fastio. Aquele sol secreto que infunde seus raios em nossos luminares interiores. É dele que procede tudo que dizemos aqui de verdadeiro, mesmo quando, com os olhos ainda doentios e recém-abertos, ousamos voltá-los a ele e tememos vê-lo em sua totalidade. E isso não nos parece ser outra coisa do que Deus, ser perfeito, destituído de qualquer degeneração. Pois ali Deus está todo e é totalmente perfeito, sendo ao mesmo tempo sumamente onipotente. Mas, enquanto estamos buscando, temos de admitir que ainda não estamos saciados daquela fonte, e, para usar aquela palavra que abordamos antes, ainda não estamos saturados de plenitude, então ainda não chegamos à nossa medida própria. E assim, mesmo que sejamos ajudados por Deus, ainda não somos sábios e felizes. Portanto, a saciedade plena dos espíritos, isto é, a vida feliz é conhecer piedosa e perfeitamente: por quem somos conduzidos para a verdade; qual a verdade de que fruímos; através do que somos ligados com a medida suprema. E aqueles que são inteligentes, e que já tenham excluído as ilusões das diversas superstições, nessas três coisas podem reconhecer Deus e a substância única.

A este ponto, minha mãe, retomando as palavras que estavam profundamente gravadas em sua memória e como que despertando em sua fé, proferiu com alegria aquele verso de nosso bispo:

Favorece aqueles que te imploram, ó Trindade (AMBRÓSIO, cit. de *Deus Creator omnium*, PL 32, 1473).

E acrescentou: Sem dúvida alguma, esta é a vida feliz, e é uma vida perfeita. Tenhamos confiança que a ela podemos ser rapidamente conduzidos por uma fé sólida, uma esperança alegre e por uma caridade ardente.

Louva os convidados e os despede

4.36 Portanto, disse eu, visto que a própria medida nos admoesta também a suspender nosso banquete pelo intervalo de alguns dias, na medida de minhas forças, quero agradecer ao Deus Pai sumo e verdadeiro, Senhor libertador das almas, e por fim a vós todos, cordialmente convidados, que me cumulastes com muitos presentes. Isso porque vós contribuístes de tal modo em nossa conversação que não posso negar estar plenamente satisfeito com meus convidados. Nesse momento todos estavam contentes e louvando a Deus. Trigésio disse então o seguinte: Como gostaria de que nos nutrisses desse modo todos os dias. Mas essa medida, disse eu, tem de ser mantida e amada em todo lugar se, de coração, vos empenhardes em retornar para nosso Deus. Tendo dito isso, concluiu-se nossa conversação e nos despedimos.

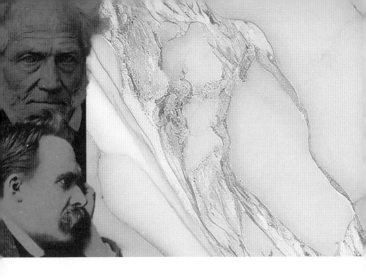

Veja outros livros do selo *Vozes de Bolso* pelo site

livrariavozes.com.br/colecoes/vozes-de-bolso

Conecte-se conosco:

f facebook.com/editoravozes

◉ @editoravozes

𝕏 @editora_vozes

▶ youtube.com/editoravozes

☎ +55 24 2233-9033

www.vozes.com.br

Conheça nossas lojas:

www.livrariavozes.com.br

Belo Horizonte – Brasília – Campinas – Cuiabá – Curitiba
Fortaleza – Juiz de Fora – Petrópolis – Recife – São Paulo

EDITORA VOZES LTDA.
Rua Frei Luís, 100 – Centro – Cep 25689-900 – Petrópolis, RJ
Tel.: (24) 2233-9000 – E-mail: vendas@vozes.com.br